「非物質文化遺產」繪本系列

射虎小英雄

謎語和花燈的故事

非物質文化遺產系列

射虎文化

小學部的壁報板上張貼了每月集會的通告，主題是「非物質文化遺產系列：射虎文化」，單張上畫了一隻可愛的小老虎。

3

除了特聘嘉賓演講外，集會將按照慣例表揚獲取
校外獎項的同學，這次是獲得「射虎英雄盃」
（少年組）冠軍的妙慧。同學都叫她「高智商」。

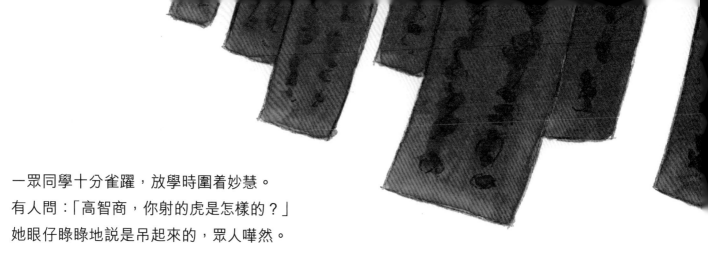

一眾同學十分雀躍，放學時圍着妙慧。
有人問：「高智商，你射的虎是怎樣的？」
她眼仔睩睩地說是吊起來的，眾人嘩然。

有人問她當時緊張不緊張，她老氣橫秋地搖頭說緊張沒用，最重要是保持頭腦清醒；有人問她射虎秘技，她説多讀書，多觀察身邊事物。眾人疑惑。

9

有同學問：「高智商，你可不可以講得實在些？」

妙慧只說：「千條絲，萬條線，落到水池便不見。」弄得同學一臉茫然。

她徑自瀟灑地打着雨傘離開，背着同學揮揮手。

小男生跟接放學的媽媽說，前面撐傘的學姐叫高智商，不單成績優異，最近還當上「射虎英雄」，又把月會主題告訴媽媽。

媽媽大為緊張，認為學習傳統文化知識之餘，也要教導小孩善待動物，於是聯絡家長教師會的委員。

一眾家長茶敘時提出各種方案，包括要求校方更改月會主題，電了
一頭鬈曲爆炸裝的家長激動地說：「我們馬上去找校長！」其他家長
你看我，我看你，一時之間不知如何是好。

每次月會都有家教會委員列席，但這次列席的委員神色格外凝重。會上，
主講嘉賓說要跟同學來個熱身，簡報屏幕上打出幾道謎題，禮堂充滿熾熱的
氣氛，同學在嘉賓引導下都一一猜中了。

謎面：

元旦 （猜一字）

嘉賓提示：

「同學們想想元旦是哪月哪日？」

有同學舉手，猜中是「明」字。

嘉賓請他解釋，同學說：「元旦是一月一日，『明』字正是由一個『月』字和一個『日』字組合而成啊！」

嘉賓說：「猜字謎可以幫助我們了解中文字的形態特徵。」

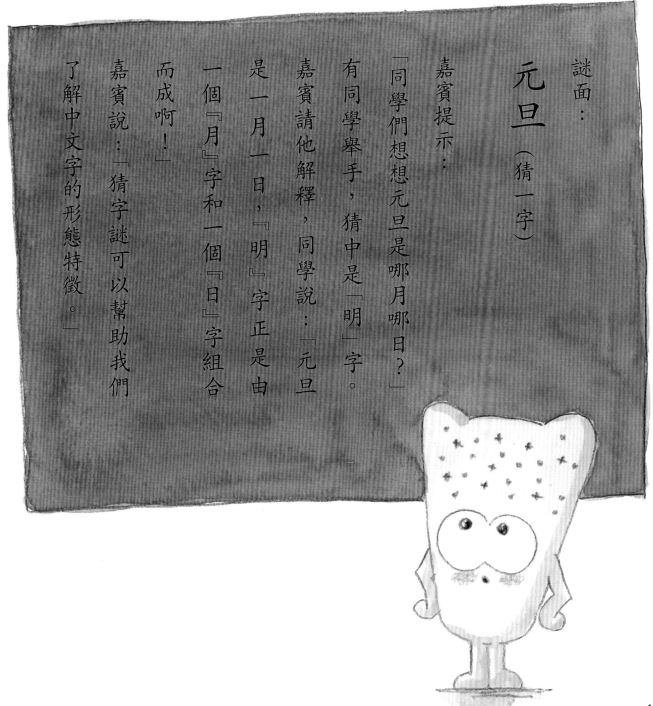

19

謎面：

兄弟姊妹情義厚，

天天並肩兼攜手，

少時總愛穿綠衣，

老來都披上黃袍。

（猜一水果）

嘉賓提示：

「生的時候綠色，熟了就變黃。」

有同學猜中是香蕉。嘉賓鼓勵

同學平時多觀察事物的特徵。

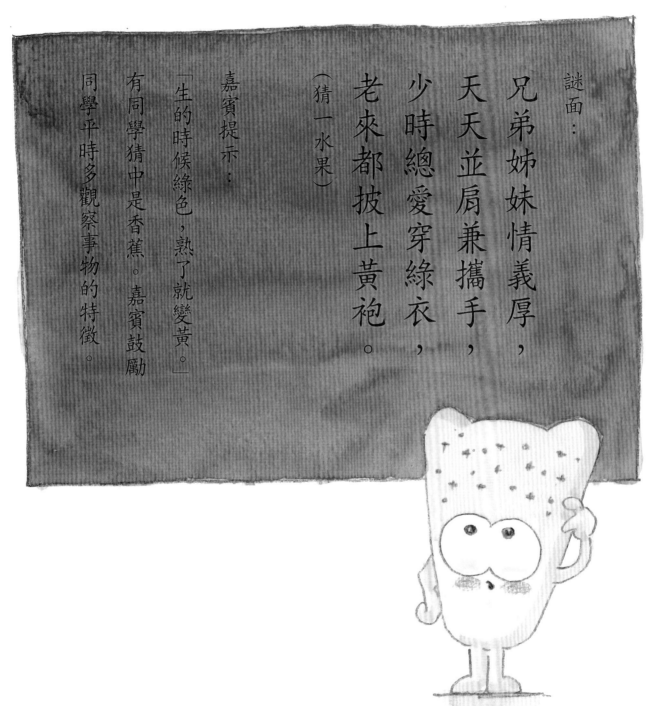

有同學舉手問：「先生不是來介紹『射虎』文化嗎？」嘉賓說：「你們剛才就體驗了。」
他隨之解說：「猜謎如射虎難中，因此稱猜謎作『射虎』，這個講法在 100 多年前的
小說中已經見到。」屏幕上出現晚清小說《二十年目睹之怪現狀》的封面。
嘉賓說：「讓我再跟同學們介紹一下謎語文化吧。」

集會結束前，校長表揚妙慧同學
參加元宵綵燈會的燈謎競猜，
獲得「射虎英雄盃」（少年組）
冠軍。在屏幕上的照片中，妙慧
拿着獎盃，站在十二生肖的虎形
花燈前以拇指和食指擺出槍狀，
作勢射虎。

校長說：「剛才嘉賓演講時介紹過，元宵觀賞花燈和猜燈謎結合的活動
在數百年前已經十分流行」。又說：「那虎形花燈是用竹篾、紗紙和絹布等
紮成的，不是真老虎啊！」

竹篾、紗紙與漿糊是紮作
花燈的基本材料

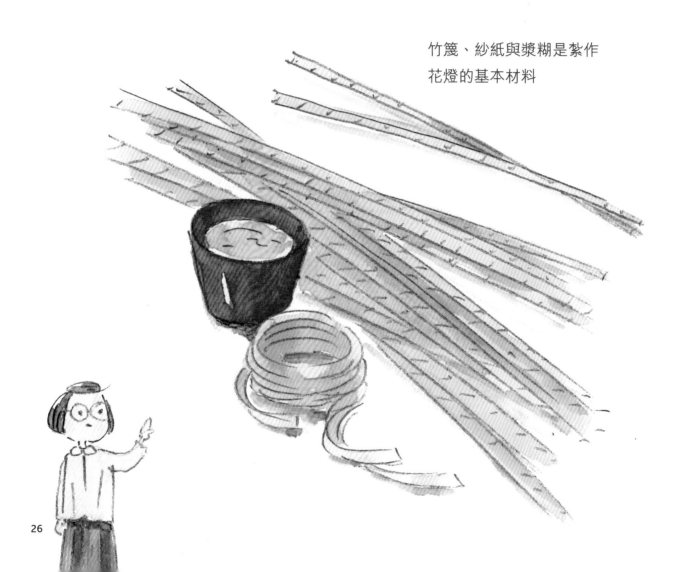

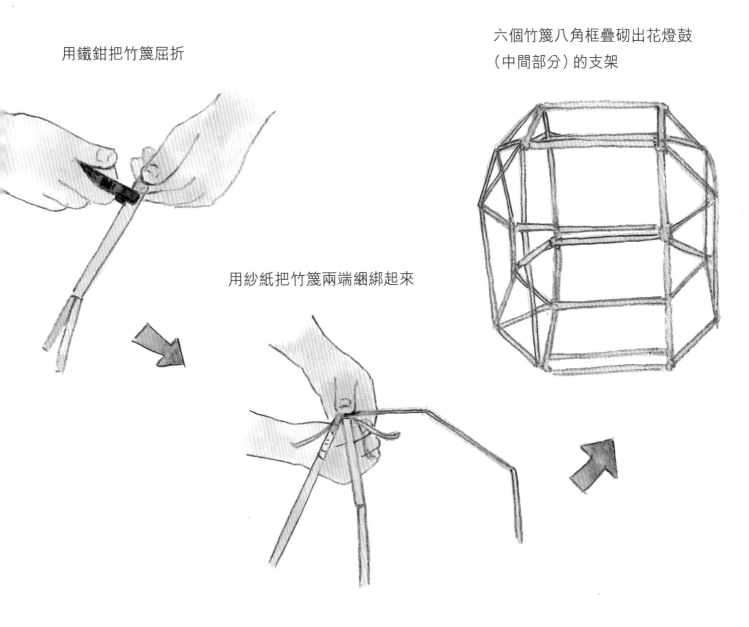

用鐵鉗把竹篾屈折

六個竹篾八角框疊砌出花燈鼓
（中間部分）的支架

用紗紙把竹篾兩端綑綁起來

27

花燈撳紙工序用的白膠漿、
小油漆掃和燈料

師傅以漿糊將燈料黏貼於
花燈的竹篾結構上

站在臺上的妙慧説：「動物跟人類一樣有感覺，怎可以射呢！我射的是謎語，射中了，沒有『虎』痛和痛苦，只會痛快。」早前特別激動的那位家長也坐在臺下，她禁不住微笑着説：「妙慧這孩子真的很有智慧啊！」

香港非物質文化遺產清單

根據《保護非物質文化遺產公約》的規定，香港特別行政區政府於 2014 年公布了包括 480 個項目的第一份香港非物質文化遺產（非遺）清單，作為保護香港非遺項目的基礎。

香港非物質文化遺產代表作名錄

香港特別行政區政府於 2017 年公布了一個總共有 20 個項目的「香港非物質文化遺產代表作名錄」，為政府就保護香港非遺項目時，在分配資源和採取保護措施訂立緩急先後次序提供參考依據。

非遺項目的詳細資料
可參考香港非物質文化遺產資料庫

謎語

紮作技藝

「非物質文化遺產」繪本系列
射虎小英雄
謎語和花燈的故事

籌劃 ： 非物質文化遺產辦事處
合作伙伴 ： 伍自禎
作者 ： 林萬儀
編輯 ： 阿豆
插畫 ： 易達華
美術設計 ： Circle Design

出版 ：
藍藍的天有限公司
香港九龍觀塘鯉魚門道 2 號新城工商中心 212 室
電話 ： (852) 2234 6424
傳真 ： (852) 2234 5410
電郵 ： info@bbluesky.com

代理及發行 ：
草田
網址 ： www.ggrassy.com
電郵 ： info@ggrassy.com
Facebook 專頁 ： https://www.facebook.com/ggrassy

出版日期 ： 2022 年 1 月

國際統一書號 ISBN ： 978-988-74911-9-4
定價 ： 港幣 80 元